たった ひとつの おやくそく

作・絵　かなざわ まゆこ
原　案　よこばやし よしずみ

「まりちゃん　おじいちゃんのところへ　いきましょう」
まりと　おかあさんは
ときどき　おじいちゃんに　あいにいく。

おじいちゃんは　おかあさんが　子どものころ
「おほしさま」に　なったんだって。

おじいちゃんの　おはかは　うみが見える　おかの上にある。
つめたいかぜにのって、ふねのエンジンの音や
カモメのなきごえが　きこえてくる。
おかあさんが　おとなえを　はじめる。

まりは　おかあさんが　おしえてくれた
おじいちゃんを　おもいうかべた。

おじいちゃんは　りょうし
日_ひやけした　かお
ゴツゴツした　手_てのひら
ねじりはちまき
かみのけは　うみのかおり…

「まりちゃん　きいてくれる？　おかあさんが
小学３年生のとき　大きな地震があったんだよ」

きょう　おかあさんは　おとなえが　おわったあと
むかしのことを　はなしてくれた。

「ドンって　つき上げられて　つぎに　グラグラグラッて
大きな　ゆれが　つづいたんだ」

「おかあさんの　おとうさん。
つまり　まりのおじいちゃんはね　すぐに
みんなを　たかだいに　つれていってくれたの。

でも　せっかく
あんぜんなところに　にげたのに
おじいちゃんは　そのあと　ひとりで
うみのほうに　もどってしまったの。
ふねのようすを　見なくちゃって」

「そうしたら 『津波』がきたの。
『津波』ってわかる？
まりの背より ずっとたかくて とっても大きな波なのよ。
おじいちゃんだけじゃない となりのおばさんや まちのみんな
たくさんの人が『津波』から にげおくれてしまったの」

「おじいちゃんは　もう　もどってこなかった。
……とっても　とっても　かなしかったよ」

「まりちゃん、ひとつだけ　おやくそくしてちょうだい。
おかあさんと　まりのおじいちゃんとの　やくそくだよ。

もしも　大きな地震が　きたらね
すぐに　山の　あの神社に　にげなさい。
そのとき　おかあさんがいなくても
ひとりで、よ。
おかあさんのことは　しんぱいしないで
さがしたりしないのよ。
おかあさんも　かならず神社に　にげるから！」

おかあさんと　ゆびきりげんまん　した。

「まり、いってらっしゃい」
「いってきます。
おかあさんも　おしごと　がんばってね」
わたしは　小学3年生になった。

「バイバイ　またあしたね」
いつもの　かえりみち。

あれ？　なんだろう？
じめんが　ゆれはじめた。
さいしょは　小さな　ゆれ。
でも　すぐに
立っていられないくらい。
じめんが　大きく
おどってる。

やっと　ゆれが　おさまった。
「大津波けいほう　大津波けいほう」
大きな音が　まちにひびく。
「津波がくるぞー！　はやくにげろー！」
だれかが　さけんでる。

また　じめんが　ゆれはじめた！
どうしよう　こわい。

うちにかえる？
おかあさん　だいじょうぶかな？
あっ　また　地震！

サイレンの音
にげる　人たち
さけびごえ。

こわい。
どうなるの？　どうしたらいい？

そのとき

「おーい　まり！」
山のほうから　こえがきこえた。

ハッとして　見上げた。
おかあさん！　…と　おじいちゃん？

「まり、『たったひとつのおやくそく』わすれちゃったかな？
大きな地震がきたら　まよわず　神社に　にげる。
ひとりでも。　おかあさんを　さがさない」
いつか　ゆびきりげんまんした　小ゆびが　きゅっとした。

そうだった。
立ちどまってたら　ダメなんだ。

神社にむかって　はしった。
もっと早く！　いそがなきゃ！

「はぁ…はぁ…。
いきが　きれる」
だけど
まわりのみんなと
かけ上がった。

神社は　にげてきた人たちで　いっぱいだった。
しってるおじちゃんも　おばちゃんも　おともだちもいた。
でも　おかあさん　いるかな？
やくそくまもって　ひとりで　ここまで　きたんだよ。
おかあさんも　ぜったい　ここにいるんでしょ！
……どこにいるの？

「まりー！　まりー！」
「あ！　おかあさん！」
いた！　よかった！
かけよって　とびついた。

「わたし　やくそく　まもったよ！」
「えらいね！　よくがんばったね！
おかあさんも　ほんとうに　しんぱいだったけど
まりのこと　しんじてたよ」

うみのほうを　見ると
『津波』はやってきた。
はじめて見る　大きな波。

ていぼうに　まもられて
みなとやまちは　ぶじだった。
よかった。
でも　もっと　大きな波だったら？

「津波けいほうが　かいじょ　されました」
アナウンスが　まちにひびいた。
「まり、おうちに　かえろう。
『たったひとつのおやくそく』まもってくれて　ありがとうね。
これからも　わすれないでね。
そして　これからは　まりが　たいせつな人
みーんなとも　このやくそくをするのよ！」

「うん！　やくそくする！」
ちからいっぱい
ゆびきりげんまん　した。

【プロフィール】

作・絵　かなざわ まゆこ（金澤麻由子）

手描き絵画の魅力を、絵本・映像アニメーション・メディアアートなど
で表現するほか、嵯峨美術大学などで講師も務めるクリエイター。
阪神・淡路大震災を中学1年生で経験し、東日本大震災では、江の島で
孤立するなど、自身の被災体験から防災の大切さを絵本で表現している。
おおしま国際手づくり絵本コンクール2011で最優秀賞・文部科学大臣
賞を受賞し、絵本作家デビュー。作品に『ぼくばぐ』『ポワン』『てんか
らのおくりもの』『さすらいのルーロット』（出版ワークス）、『きみのな
まえ』（佼成出版社）、『地震がおきたら』（BL出版）、『きみはぼうさい
たいし』（金の星社）他。

原　案　よこばやし よしずみ（横林良純）

1976年、東京都生まれ
和歌山県在住

たった ひとつの おやくそく

2024年3月17日　第1刷発行

作・絵　かなざわ まゆこ
原　案　よこばやし よしずみ
発　行　防災100年えほんプロジェクト実行委員会
　　　　構成団体：ひょうご安全の日推進県民会議
　　　　　　　　　（公財）ひょうご震災記念21世紀研究機構
　　　　　　　　　阪神・淡路大震災記念 人と防災未来センター
　　　　事 務 局：阪神・淡路大震災記念 人と防災未来センター
発　売　神戸新聞総合出版センター
　　　　〒650-0044　神戸市中央区東川崎町1-5-7
　　　　TEL 078-362-7140　FAX 078-361-7552
　　　　https://kobe-yomitai.jp/
装　丁　正木 理恵
編　集　西 香緒理
印　刷　株式会社 神戸新聞総合印刷

この絵本は、プロジェクトによる
「防災100年ものがたり（絵本の原案）募集」の
入選作品を元に制作しました。
公式サイトで詳しい情報を公開しています。
ぜひご感想をサイトのフォームからお寄せください。

防災100年えほんプロジェクト
https://bosai100nen-ehon.org/

時 を 経 て も、続 く 価 値 を。
SEKISUI HEIM
Unit Technology for the Future

積水化学工業株式会社は
トップパートナー企業として
防災100年えほんプロジェクトを
応援しています。